2024 유쾌한 용마삼삼

2024 유쾌한 용마삼삼

발 행 | 2024년 8월 8일
저 자 | 2024 인천용마초등학교 3-3 학생 18명
펴낸이 | 한건희
펴낸곳 | 주식회사 부크크
출판사등록 | 2014.07.15(제2014-16호)
주 소 | 서울특별시 금천구 가산디지털1로 119 SK트윈타워 A동 305호
전 화 | 1670-8316
이메일 | info@bookk.co.kr

ISBN | 979-11-419-0019-9

www.bookk.co.kr

2024

유쾌한

용마삼삼

2024 인천용마초등학교
3-3 학생 18명
지음

CONTENT

머리글

이 책은 2024학년도 인천용마초등학교 3학년 3반 학생 18명이 쓴 글을 모아 구성한 것입니다. 따라서 저자는 2024 용마초 3학년 3반 학생들입니다. 우리 반을 줄여 용마삼삼이라 부릅니다. 그래서 책 제목도 <유쾌한 용마삼삼>이라 지었습니다.

'1부 용마삼삼 읽고 쓰기'는 학생들이 읽은 책 중 다른 친구나 후배들에게 소개해 주고 싶은 책의 줄거리와 읽고 느낌 소감을 기록했습니다.

'2부 용마삼삼 걷고 쓰기'는 우리 반 학생들이 매일 아침 쓴 감정일기를 토대로 기억에 남는 일을 기록하고 그에 대한 소감을 적어보았습니다.

'3부 용마삼삼 나를 맞춰봐'는 교우관계 증진을 위해 매주 실시했던 친구 시험 문제를 모아봤습니다. 자신에 대해 문제를 내고, 친구들이 친구에 대해 묻고 알아가는 과정을 통해 우리 반 친구들이 보다 더 친해지는 계기가 되었던 것 같습니다.

초등학교 3학년 아이들이 쓴 글이라 미숙함이 많습니다. 맞춤법, 문장 호응, 표현력 등이 부족하지만, 훗날 읽었을 때 지금의 모습을 그대로 기억할 수 있도록 가급적이면 수정을 하지 않으려고 노력했습니다. 학생들이 어려워하는 맞춤법과 띄어쓰기는 wrtn AI로 1차 수정을 했으며, 문장 중에 너무 이상한 부분만 교사가 조금 손본 정도입니다.

또 각 글에 들어가 있는 삽화는 wrtn AI와 DALL.E를 활용해 학생들이 직접 만든 이미지입니다. 2024년 현재 초등학교 3학년이지만 AI를 활용한 글쓰기를 했다는 데 의의를 두고 싶습니다.

인천광역시교육청의 읽.걷.쓰 사업 덕택에 우리 반 학생들의 글을 한 편의 책으로 엮을 수 있어서 고맙게 생각합니다. 올 한 해의 기억 일부를 이 책에 담았다면, 이 책이 다시 우리 반 학생들에게 있어 인생의 책갈피가 되길 바랍니다.

2024 용마삼삼 담임 교사

왕구쌤

1부

용마 삼삼

읽고 쓰기

\<Go Go 카카오 프렌즈\> - 김다은

● 관련 과목: 사회

● 독서감상문

옛날에는 한강 주변에서 전쟁이 있었다.

카카오 프렌즈는 한강에서 피크닉을 즐기다 시간문을 통해 11번째 시간 여행을 출발했다. 6세기말 신라 땅이었던 한강에 도착했다. 거기서 삼국시대의 바보

온달 장군도 만났다. 그 후 다시 시간 여행으로 고려시대로 가 승려들과 함께 나라도 지키고, 조선 시대에서는 22대 왕 정조를 만났다. 또 3.1 운동 현장으로 가 유관순 열사도 만났다.

이 책을 소개하고 싶었던 이유는 우리나라 역사도 공부할 수 있고, 몰랐던 역사 인물에 대해 배울 수 있기 때문이다.

<별과 고양이와 우리> - 김다은

- ● 관련 과목 : 도덕
- ● 독서감상문

　이 책을 간단히 소개하자면, 이 책은 여러 가지의 명언과 3명에 친구가 고양이가 친구가 된다는 이야기다. 나는 이 책을 읽고 나서 나와 친하지 않은 친구들과도 친하게 지내야겠다고 생각했다 그 이유는 전학을 새로 왔거나 소심한 친구들은 친구를 많이 못 사귈 것 같아서이다.

\<나중에 가족\> - 김시연

● 관련 과목 : 도덕, 국어

● 독서감상문

행복아파트 3층에 사는 용식이네 가족은 누구도 싸우는 모습을 본 적이 없습니다. 용식이네 가족이 이토록 평화로운 이유는 바로 '나중에' 때문입니다.

용식이네 가족은 모든 일을 뒤로 미루는 것을 철저히 실천합니다. 어느 일요일 아침, 띵동 소리에 문을 열자

거실에는 몰캉한 커다란 '나중에' 덩어리가 들어와 있었습니다. 용식이네 가족은 '나중에'들 때문에 늘 불편함을 느꼈습니다.

하지만 용식이네는 '나중에'들을 쫓아낼 방법을 찾았습니다. 바로 '나중으로 미루어졌던 일을 하는 것'이었습니다. 용식이네 가족은 '나중으로 미뤄왔던 일'을 하나씩 처리하면서 '나중에'들이 사라지는 것을 발견했습니다. 그리고 '나중에'가 사라질 때마다 가족들은 더욱 행복해졌습니다.

저는 이 책을 소개하는 이유가 바로 제가 집안일을 미루지 않고 미리미리 해야겠다는 생각을 하기 위해서입니다.

<나도 분홍이 좋아!> - 김시연

● 관련 과목 : 도덕

● 독서감상문

윤우와 윤주는 이번 여름방학동안 할아버지 집에 가게 되었어요. 윤우와 윤주는 할아버지에 잔소리 때문에 가기 싫었지요. 윤우는 핑크색 이불을 챙겼어요.

다음날 할아버지가 사내 녀석이 분홍색을 좋아하면 안 된다며 분홍색 이불을 강아지에게 주었어요. "남자는

~을 잘해야 돼!"라면서요. 이런 저런 일이 있다가 윤우는 그만 울음을 터트리고 말았어요. 그런데 고모할머니가 할아버지도 어릴 때 남자답지 못했다고 했어요. 할아버지는 옛날 사진을 보고 얼굴이 빨개 졌어요.

그날 밤 할아버지가 울고 있었어요. 윤우는 '할아버지가 울고 계시잖아.'라고 혼잣말을 하다 할아버지와 눈이 마주치고 말았어요. 할아버지와 화해를 하고 할아버지는 핑크색 이불을 윤우에게 주고 완전히 화해를 했어요.

남자든 여자든 어떤 걸 해야 하고 하지 말아야 되는 것은 없다고 생각했다. 스스로 하고 싶은 건 다 해도 된다는 생각을 했다.

<리디아의 정원> - 김예지

● 관련 과목 : 국어

● 독서감상문

　작별 인사로 삼촌이 케이크를 만들어 줄 때와 가족과 1년 동안 떨어져 지낼 때가 인상 깊었습니다. 그리고 아빠가 일자리를 구했을 때도 인상 깊었습니다. 리디아가 옥상을 꾸몄을 때는 예쁘고 아름다워서 어떻게 그렇게 예쁘게 꾸미는지 궁금했습니다.

<꽃을 피우는 할아버지> - 김예지

● 관련 과목 : 도덕

● 독서감상문

이 책을 읽고 느껴던 소감은 강아지가 보물 탐지기라고 생각했어. 왜냐하면 할아버지와 강아지가 정원에 일하다가 개가 어딘가에 가 더니 킁킁 냄새를 맡더니 긁었어. 그래서 할아버지가 따라가서 곡괭이로 마구 팠어. 그런데 팠더니 황금색 궤짝이 나왔어.
그러던 어느 날 어떤 욕심쟁이가 그 소문을 듣고 그
할아버지가 살고 있는 데로 가서 강아지를 빌려달라고
했지. 그래서 강아지를 그 정원으로 데리고 갔어.
욕심쟁이는 냄새가 나는 곳으로 가서 곡괭이로 팠어.
그런데 궤짝이 아니라 냄새 나고 오래전부터 있었던
쓰레기가 나왔어. 욕심쟁이는 짜증나서 강아지를
죽이고 할아버지한테는 정원에서 죽었다고 거짓말을
했어. 할아버지는 엄청 울었다.

<비행 꼬꼬 웬디> - 박소윤

● 관련 과목 : 도덕

● 독서감상문

이 책은 시골에서 삶에 지루함을 느낀 웬디가
서커스단에 들어가 오토바이를 타고 높이 멀리 날아
유명해지는 이야기를 담고 있습니다. 하지만 웬디는

유명함보다는 행복하게 살 수 있는 그리운 농장으로 돌아옵니다.

하지만 웬디는 꿈을 포기하지 않고 계속 도전하는 모습으로 이야기는 마무리됩니다. 저는 이 책을 읽고 놀라운 꿈을 이루어 보라는 것을 느꼈습니다.

<내 토끼가 또 사라졌어!> - 박소윤

● 관련 과목 : 도덕

● 독서감상문

　주인공 트릭시는 가족과 애착 인형 토끼 인형이랑 여행을 떠났습니다. 여행중 애착 인형이 사라졌습니다. 그러다 집으로 돌아가는 비행기에서 애착 인형을 찾았습니다. 너무 기뻤고 행복했습니다. 그런데 때마침 우는 아기를 보고 트릭시는 인형을 줬습니다. 이 책을 읽고 배려를 잘 해야겠다는 생각이 들었다. 그리고 엄청 아끼는 인형이지만 타인에게 소중한 것을 나눠줄 수 있는 사람이 되어야겠다는 생각도 들었다.

<경주를 그리는 마음> - 양지안

- 관련 과목 : 도덕, 사회, 국어
- 독서감상문

　이 책은 여자아이가 아빠와 함께 경주를 여행하는 내용을 담고 있습니다. 책에서는 경주에 있는 다양한 문화유산과 역사적인 장소들을 보여줍니다.

　이 책이 재미있는 이유는 바로 새로운 탑들을 만날 수 있기 때문입니다. 석굴암, 첨성대 등 다양한 탑들을 생생한 그림 속에서 볼 수 있습니다.

<21세기 먼나라 이웃나라 미국> -

양지안

● 관련 과목: 사회

● 독서감상문

　미국에 정식나라 이름은 아메리카 합중국이야. 남북 아메리카 대륙에는 수없이 많은 나라가 있지만 아메리카라고 해. 그런데 우리는 왜 아메리카를 미국이라고 하고 일본 사람들은 미국을 베이고쿠라고 하고 중국 사람들은 메이구어라고 하는데는 이유가 있어. 중국이 왜 영어로 차이나인지 알아? 중국이 서양에 처음 알려진 것은 중국 대륙을 처음 통일한 진나라 때로 해서야.

<돌 박물관이 살아있다> - 엄유하

- 관련 과목 : 국어, 과학
- 독서감상문

어느 날, 쥐 한 마리가 돌 박물관으로 들어갔습니다. 놀랍게도 돌들이 말을 하면서 스스로의 특징을 설명하기 시작했습니다. 쥐는 다양한 돌들을 만나면서 그들의 특징과 종류를 배우는 즐거움을 느꼈습니다.

만약 제가 돌 박물관에 간다면 가장 먼저 찾아볼 돌은 바로 아름다운 무늬와 다양한 색상으로 유명한

변성암인   대리암입니다.   직접   눈으로   대리암의
아름다움을 감상하고 싶습니다.

　이 책을 통해 다양한 돌들의 특징과 종류를 배우고,
실제 돌 박물관에 방문하여 돌들을 직접 감상하는 것은
매우 흥미로운 경험이 될 것입니다.

　그리고 여러분이 돌 박물관에 간다면 어떤 돌을 제일
먼저 보고 싶나요?

\<다안 다니아와 떠나는 태양계 여행\> - 엄유하

- 관련 과목 : 과학
- 독서감상문

이 책은 진용이네 가족이 태양계를 여행하는 내용이에요. 이 책을 보면 우주에 있는 행성들을 알 수 있어요. 그리고 여기는 우주니까 과학 시간에 배웠던 '달 기지 설계하기'에 있었던 것처럼 우리가 상상한 달 기지가 될 수도 있겠어요. 거기는 중력이 없어서 인공 중력을 넣어서 둥둥 뜨지 않고 있을 수 있대요.

<꿈 강아지> - 이예나

● 관련 과목 : 국어

● 독서감상문

한 총각이 꿀강아지라는 강아지를 가지고 있었습니다. 그 강아지는 꿀똥을 쌌습니다. 그 총각은 욕심쟁이 영감님을 불러 꿀똥을 쌌다는 사실을 숨기고 강아지를

보여주었습니다. 욕심쟁이 영감님은 그 사실을 모르고
꿀강아지를 탐욕스럽게 바라보며 칭찬했습니다.

영감님은 꿀강아지에게 고기를 먹여 키웠습니다.
어느 날 손님들이 왔을 때 영감님은 떡상 위에 꿀똥을
쌓아 놓고 꿀강아지를 불러 손님들에게 보여주었습니다.
손님들이 꿀똥이라고 생각하고 먹으려 하자 영감님의
속임수가 드러나 망신을 당했습니다.

나도 이 이야기를 통해 욕심은 결국 나쁜 결과를
초래한다는 것을 깨달았습니다.

<초등 필수 백과-가을에는 왜 나뭇잎색이 변할까?> -이예나

● 관련 과목 : 과학
● 독서감상문

　나무가 겨울 동안 수분을 덜 빼앗기려면 될 수 있는 한 나뭇잎을 많이 떨어뜨려야 해요. 그래서 나뭇잎과 가지 사이에 얇은 막을 만들어 영양분과 수분이

나뭇잎으로 빠져나가는 것을 막지요. 이때 나뭇잎을
푸르게 하는 엽록소가 파괴되면서 색이 변한다.

<보름달을 사랑한 부엉이> - 이예빈

● 관련 과목 : 국어, 과학

● 독서감상문

부엉이와 친구들이 달을 보는데, 부엉이는 보름달을 기다렸어요. 하지만 보름달이 떠오르지 않아 부엉이는 하늘로 올라가겠다고 했어요. 그런데 하늘로 올라가다가 나무에 머리를 부딪혀 버렸지요. 친구들은 부엉이의 집으로 가서 부엉이를 침대에 눕혔어요. 부엉이가 자는 동안 보름달은 떠올랐지만, 부엉이는 잠들어 있었기 때문에 볼 수 없었어요.

깨어난 부엉이는 보름달을 못 본 사실을 알고 너무 슬펐어요. 그래서 달을 만나러 가서 "보름달은 왜 안 떠오르는 거예요?"라고 물었어요. 달은 부엉이에게 "나는 매일 보름달이야. 네가 잠들어 있었기 때문에 못 본 거지."라고 대답했어요.

부엉이는 달의 말을 듣고 기분이 좋아졌어요. 그리고 친구들과 함께 즐거운 시간을 보냈답니다.

<모모모모모> - 이예빈

● 관련 과목 : 사회, 국어

● 독서감상문

이 책은 농부들이 쌀을 만드는 과정을 보여주는 책이다. 나는 이 책을 읽고 농부들이 힘들게 일하는 것을 알았다. 그리고 밥을 남기지 말라는 교훈을 얻었다. 내가 이 책을 소개한 이유는 농사의 대해 알려주고 싶기 때문이다.

\<꿈꾸는 허수아비\> - 이하연

- 관련 과목 : 국어

- 독서감상문

농부가 자기 밭을 지키기 위해 허수아비를 만들어 꽂아 놨지요. 허수아비 피터는 하늘을 날고 있는 새들이 부러웠어요. 꼬마 참새 친구들이 부리로 피터를 물어서 하늘 위로 날아올랐어요. 피터는 행복한 경험을 했어요. 허수아비의 마음을 알 것 같아요. 마음이 아팠다가 행복했어요.

<들키고 싶은 비밀> - 이하연

- ● 관련 과목: 국어, 도덕
- ● 독서감상문

　9살 은결이는 일주일용돈 1000이 언제나 부족했어. 그런데 은결이는 아무도 모르게 엄마 돈 만원을 꺼내다가 위에 컵이 떨어져 손에 유리컵 조각이 박혀 피가 났지. 컵도 산산조각이 나 버렸어. 은결이는 어쩔

줄 몰라 하다 엄마한테 솔직하게 말했어. 엄마랑 병원을 갔더니 은결이는 마음이 콩닥콩닥 뛰었어. 진료 후 은결이는 깁스를 하고 나왔지. 은결이는 집에서 푹 쉬고 다 나았어.

<리디아의 정원> - 김우찬

● 관련 과목 : 국어

● 독서감상문

　이 책은 리디아가 가족과 1년 동안 떨어져 지내면서 외삼촌 집에서 빵 만드는 것을 도우면서 할머니가 주신 씨앗으로 옥상 정원을 가꾼다는 내용입니다. 리디아가 가족들과 주고받는 편지로 이루어져 있고, 리디아는 아빠가 취직을 하면서 다시 집으로 돌아옵니다.

<이런 개구리는 처음이야> - 김진우

● 관련 과목 : 도덕

● 독서감상문

어느 날, 돌연변이 올챙이가 개구리로 되며 뛰는 법을 배웠습니다. 놀랍게도, 개구리는 엄청 높이 뛰어오를 수 있었죠. 하지만 하늘을 우러르자, 검은 구름이 다가오는 것을 발견했습니다.

더 가까이 다가가 보니, 그것은 뿌연 연기가 아니었나요! 연기를 따라가보니, 그곳에는 쓸데없는 물건들을 만드는 공장이 있었습니다. 개구리가 공장을 향해 "그만 만들어!"라고 외쳤지만, 공장은 멈추지 않았습니다.

이에 개구리는 친구들과 함께 해결책을 모색했습니다. 그리고 친구들의 아이디어대로, 공장에서 만든 물건들을 공장 옆에 쌓아 올렸습니다. 쌓인 물건들을 보며 공장은 깊은 생각에 빠졌습니다.

"정말 이렇게 많은 물건들을 만들어야 했을까?"

결국 공장은 더 이상 물건을 만들지 않기로 결심했습니다. 이 사건을 계기로, 저는 책을 읽고 버리지 않고, 오래 사용할 수 있는 물건들을 조금씩이라도 소중하게 사용하기 시작했습니다.

환경 오염을 줄이기 위해 플라스틱 사용을 줄이는 것도 중요합니다. 우리 모두 작은 노력들을 모아 더 깨끗하고 아름다운 세상을 만들어 나가야겠죠.

<풍선껌을 불고 또 불었더니> - 김진우

● 관련 과목 : 도덕

● 독서감상문

　이 책에서는 햄스터들이 사는 마을에서 풍선껌 불기 대회가 열렸어요. 슈슈도 친구들도 모두 풍선껌을 씹었어요. 친구들이 풍선껌을 수박만큼 불자 둥둥 떠올랐어요. 슈슈도 하고 싶어서 계속 시도했지만 되지 않았어요. 슈슈는 "안 해!"라고 했지만 또 시도하고 또 시도해서 결국 성공했어요.

이 책을 보고 난 끈기와 노력, 인내심을 가지게 되었어요. 이렇게 슈슈처럼 노력하면 언젠가는 성공할 거랍니다.

<벌거숭이 임금님> - 박준모

● 관련 과목 : 도덕

● 독서감상문

이 책은 거짓말을 하지 말아야 한다는 내용입니다. 줄거리를 간략히 소개하면, 마법의 직공이 와서 거짓말로 마법의 옷을 만들어 준다고 해서 임금님이 그

말을 믿고 며칠을 기다렸는데 옷이 안 보여서 임금님도 거짓말로 그 옷이 아주 멋있다고 하고 그 가짜 옷을 입고 임금님 행차 때 사람들에게 벌거숭이 모습으로 나타난다는 내용입니다. 이 책을 읽고 나서 거짓말로 남을 속이지 말아야겠다는 생각을 했어요. 왜냐하면 마법의 직공이 임금님을 속이는 모습이 너무 나쁘게 보였기 때문이에요.

<세 왕자의 보물> - 박준모

● 관련 과목: 도덕

● 독서감상문

왕은 세 왕자 중 누구를 누르알니하르 공주와 결혼을 시켜야 할지 고민했어요. 왕이 세 왕자한테 말했어요. "가장 좋은 보물을 가지고 오는 사람과 누르알니하르 공주를 결혼시키겠다."라고 말했어요. 세 왕자는 각자 보물을 찾은 뒤 일년후에 만나자고 말했어요.

후세인 왕자는 순식간에 도착하는 양탄자, 알리 왕자는 무엇이든 볼 수 있는 망원경, 아메드 왕자는 병이 걸렸을 때 치료해주는 사과를 가지고 왔어요.

그런데 왕은 셋 다 엄청 좋은 보물이어서 활을 가장 멀리 날리는 사람과 공주를 결혼시키겠다고 했어요. 아메드 왕자가 더 멀리 날렸는데 활을 찾지 못해서 알리 왕자가 결혼을 했답니다.

느낌점은 공주와 결혼하기 위해서 보물을 찾으려고 노력하는 왕자들의 모습이 너무 멋졌어요. 나도 왕자들처럼 열심히 노력하는 사람이 되야겠다는 다짐을 했어요.

<펠레는 축구왕> - 박지훈

● 관련 과목 : 체육

● 독서감상문

펠레는 가난했지만 축구를 포기하지 않았습니다.
펠레는 집이 가난해서 축구공은 양말을 뭉쳐서
사용했고, 축구화는 커녕 신발도 신지 못했습니다.

그런데도 친구들은 펠레의 축구 실력을 보고 감탄했습니다. 펠레는 날이 질 때까지 축구를 했습니다.

이 책을 읽고 느낀 교훈은 모든 것을 포기하지 않고 노력하면 이루지 못할 것이 없다는 것입니다.

<자동차 박사 헨리포드> - 박지훈

● 관련 과목: 과학, 국어

● 독서감상문

　헨리 포드는 옛날부터 죽을 때까지 자동차 만드는 걸 좋아하고 잘했습니다. 자동차를 많이 만들어서 그만큼 많이 팔았습니다.

　요즘은 헨리의 자동차가 인기가 떨어졌습니다. 왜냐하면 옛날에 거의 헨리의 자동차를 구매했기 때문입니다. 그 자동차를 아들이나 딸이 타고 다니기 때문입니다. 이 책을 읽고 느낀 교훈은 끝까지 노력하면 다 할 수 있다는 것 같습니다.

<숲 속 사진관> - 우은찬

● 관련 과목 : 국어

● 독서감상문

숲속 마을에 새로 사진관이 생겼어요. 호랑이 가족, 뱀 가족 등 다양한 동물 가족들이 가족 사진을 찍으러 갔지요. 그런데 꼬마 판다 가족은 혼자였어요. 하지만 다른 동물 가족들이 함께 사진을 찍어 주었기 때문에 꼬마 판다도 멋진 가족 사진을 갖게 되었어요. 저는 이 일을 경험하면서 앞으로 도움이 필요한 사람들을 적극적으로 도와주겠다고 결심했어요.

<세균과 바이러스> - 우은찬

- 관련 과목: 과학
- 독서감상문

푸른 마을에 사는 엄지와 꼼지는 학교 기자였습니다. 그러다가 어느 의사 선생님을 만나게 되었습니다. 그 선생님은 1년 동안 준비해온 축제를 연기하려고 했지만 이 축제의 총책임자 나 의원을 이기지 못했습니다.

그러나 엄지와 꼼지는 그 선생님을 취재했고, 돼지 독감이라는 병이 퍼져 나갔습니다. 그 선생님도 세균과 바이러스 때문에 연기하려고 한 것이었습니다.

하지만 이들은 위기를 극복하고 푸른 마을은 다시 안정을 되찾았습니다.

이제 저는 세균과 바이러스를 더 조심하겠다고 결심했습니다.

<42가지 마음의 색깔> - 조유빈

● 관련 과목 : 국어, 도덕

● 독서감상문

이 책은 마음을 알 수 있는 책이다. 자신이 모르는 감정이나 잘못 알고 있는 감정을 알 수 있는 책이다. 그래서 마음에 대해서 잘 알 수 있는 책이다. 42가지에 마음이 들어가 있다. 이 책을 읽어 보니 재미도 있고, 마음에 대해서 많이 알았다. 그리고 또 내가 모르는 감정도 많이 있었다. 그러니 읽어보지 않은 사람은 꼭 읽어보면 좋을 것 같다!

<사냥꾼 키쉬> - 조유빈

● 관련 과목: 사회

● 독서감상문

이 책은 키쉬라는 남자 아이가 마을에서 힘이 강한 사람들은 사냥을 해서 먹고 힘이 약한 사람들은 사냥을 못해서 배고픈 상황을 없애기 위해서 어린 나이에 사냥을 나갔다가 고기를 많이 잡아온다는 이야기다. 사람들은 이런 키쉬를 보고 주술을 사용한다고 말이 많았다. 그중에 우 그룩이라는 남자는 키쉬를 미행해 본다. 키쉬가 이상하게 생긴 공을 떨어뜨리고 그걸

북극곰이 먹자 곰이 고통스러워한다. 우 그룩은 그걸 보고 주술이라고 한다. 하지만 키쉬는 그 공을 만드는 방법을 알려준다. 고래지방을 둥근 공처럼 만들고 그 안에 고래 뼈를 넣는다. 그리고 공이 되도록 밖에다 얼린다. 그리고 곰이 그것을 먹으면 지방이 녹고 뼈가 팽팽하게 되면서 고통스럽게 된다. 그런 다음 곰이 움직이지 않으면 죽이는 것이다. 그렇게 키쉬에 대한 의심은 풀리게 된다.

<정글북> - 조하남

- 관련 과목 : 국어
- 독서감상문

정글북은 사람이 살지 않는 밀림에서 모글리가 살아가는 이야기입니다. 뛰어난 지혜 덕분에 어려움에 처한 동물들을 구해주기도 합니다. 책을 읽고 우리 모두 서로 존중하고 협력하며 함께 살아가야 한다는 것을 느꼈습니다.

<장화 홍련> - 조하남

● 관련 과목 : 도덕

● 독서감상문

　장화와 홍련이는 행복했는데 엄마가 돌아가신 뒤로 속상한 마음이 저에게까지 전해졌습니다. 하지만 우애가 멋있었습니다. 그런데 악마 새어머니한테 죽음을 당하는 게 안타까우면서 새어머니가 너무너무 짜증났습니다. 하지만 나중에 새어머니가 벌을 받아서 행복했습니다.

<돼지책> - 탁기성

● 관련 과목 : 국어, 도덕

● 독서감상문

이 책은 피곳씨와 사이먼, 패트릭이 피곳씨 아내를 도와주지 않아서 돼지가 되는 책이야. 이 책을 읽으니 어머니가 어려운 일이 있으면 도와줘야겠다고 생각했어. 나도 어머니를 도와주지 않고 계속 놀기 때문이야. 앞으로는 부모님을 잘 도와드려야겠어.

<피노키오> - 탁기성

● 관련 과목: 도덕 국어

● 독서감상문

이 책은 피노키오가 거짓말을 하면 코가 길어지고 사실 대로 말하면 코가 줄어 들어 마지막에 피노키오가 착한 일을 해서 사람이 되는 이야기야.

나도 엄마 말을 듣지 않아서 혼난 적이 있어.

<물끄러미> - 장하솔

● 관련 과목 : 도덕

● 독서감상문

이 책은 아무도 좋아해주지 않아서 슬퍼하는 곰 이야기입니다. 하지만 개구리가 곰에게 미소를 지어주고 좋아해주면서 곰은 용기를 얻고 친구를 많이 사귀게 됩니다.

곰은 아무도 자신을 좋아하지 않을 것이라고 생각했지만, 개구리가 미소를 지어주면서 용기를 얻게 됩니다. 이 장면은 따뜻하고 마음을 호기심 있게 하는 부분이었습니다.

또 곰은 친구들이 많아지면서 자신감이 생기고 멋을 부리기 시작합니다. 곰의 귀여운 모습이 재미있게 느껴졌습니다.

<올림포스 가디언> - 장하솔

● 관련 과목: 도덕

● 독서감상문

우라오스가 올림포스의 신이 되려고 힘든 여러 가지 일들을 겪고 신이 된다는 내용입니다. 재미 있었던 부분은 우라오스가 신이 된 게 재미있었습니다. 그 이유는 우라오스가 신이 되어 기쁠 때 저도 드디어 됐구나라는 생각이 들었기 때문입니다.

2부

용마 삼삼
걷고 쓰기

\<맛없는 오렌지\> - 김다은

　　과일을 먹었다. 엄마가 사 오신 오렌지를 잘라서 먹었더니 시큼한데 맛도 없었다. 부모님께는 말을 안 했다. 그때 엄마가 이렇게 말했다. "어디 불편해?" 나는 "아니."라고 했다. 우리 오빠도 맛없다 했다. 그때 너무 이상했다. 엄마에게 사실대로 말했더니 "상관없다"고 하셨다. 나는 그때부터 앞으로는 솔직히 이야기할 거다.

<오랜만에 치과에 간 날> - 김다은

2024년 7월 1일

학교가 끝나서 아빠와 병원에 갔다. 병원 진료가 끝날 때쯤 진우 목소리가 들렸다. 긴장이 갑자기 풀렸다. 집에 가고 있을 때 아빠에게는 다이소에 가자고 말했더니, "흔쾌히 알겠어"라고 했다. 너무 기뻤다. 다이소에 가서 통을 많이 샀다. 앞으로도 아빠에게 잘해줄 거다.

\<손목 다친 날\> - 김다은

2024년 6월 18일

학교가 끝나서 친구랑 놀다가 넘어졌는데 손목에 무리가 갔는지 많이 아팠다. 발도 살짝 삔 것 같았다. 바로 집에 가서 파스를 많이 뿌렸다.

엄마가 "아파?" 라고 물으셨다. 걱정을 일으켜서 슬펐다.

<필통을 찾아라> - 김시연

2024년 5월 21일 화요일

    학교에 왔는데 필통이 없었다. 나는 가방을 봤더니 다른 필통이 있었다. 다른 필통이 있어서 다행스러웠다. 그리고 나는 아침활동을 하려고 서랍을 봤는데 내가 찾던 필통이 있었다. 나는 학교에 필통을 두고 갔던 걸 까먹었던 것이었다.

<즐거운 학원> - 김시연

2024년 6월 4일 화요일

화요일 학교가 끝나고 나는 내가 싫어하는 학원을 갔다. 나는 독서록을 써야 되서 독서록을 썼다. 근데 선생님이 너무 잘 썼다고 칭찬해 주셨다. 그리고 도장을 2개를 받아야 되는데 선생님이 도장 3개를 찍어 주셨다. 그때 잘 썼다고 해주셔서 뿌듯했다. 학원이 끝나고 시우에게 도장 3개를 받았다고 자랑을 했다.

\<억울한 날\> - 김시연

2024년 7월 15일 월요일

난 학원이 끝나고 집으로 왔다. 근데 시우 방 문이 잠가져 있었다. 난 당황했다. 갑자기 시우 방 문이 열렸다. 나는 들어갔는데 시우가 소리를 지르며 나가라고 소리쳤다. 나는 너무 짜증나서 나는 방문을 쾅 닫으며 들어갔다. 엄마가 내방에 들어가서 과일을 주셨다. 난 시우와 말싸움을 해서 이겼다.

<언니 생일에 훠궈 먹은 날> - 김예지

2024년 7월 11일

곧 있으면 언니 생일이다. 그래서 방에서 편지를 쓰고 있는데, 거실에서 엄마랑 아빠랑 언니한테 말하고 있었다. 생일에 뭐가 먹고 싶냐고. 언니가 대답했다. "훠궈가 먹고 싶어요." 나는 속으로 생각했다. 나는 훠궈를 안 좋아하는데… 그래도 언니가 먹고 싶어 하니까 먹어야겠지. 나는 그냥 방에서 계속 편지를 썼다.

<장례식장 가는 날> - 김예지

2024년 7월 16일

왕할아버지께서 돌아가셔서 우리 가족은 장례식장에 가야한다. 할머니처럼 나도 새벽에 가고 싶었는데 나는 학교에 가야 해서 같이 못 갔다. 엄마도 회사를 가야 하고 저녁 6시 30분에 오신다. 그래서 엄마랑 같이 갈 거다. 그래서 엄마가 올 때까지 놀았다. 엄마가 온 다음 버스를 타고 장례식장에 가서 고깃국을 먹었다. 맛있었다.

<충치 치료하기 싫다> - 김예지

2024년 7월 2일

충치 치료를 해야 한다. 그렇지만 너무 하기 싫다. 그런데 엄마가 잘 참고하면 15,000원을 주시겠다고 했다. 그래서 난 바로 치료를 받기로 했다. 그런데 실제 치료를 받아보니 별로 안 아팠다. 하지만 밥을 먹을 때마다 불편하다. 왜냐하면 왼쪽 이빨을 치료해서 오른쪽으로 씹어야 하기 때문이다.

<굴러 떨어진 날> - 박소윤

2024년 6월 11일

　새벽 4시에 자고 있는데 옆으로 굴러 떨어졌다. 그래서 너무 아파서 짜증났다. 그치만 다음에는 조심해야겠다는 생각이 들었다. 그리고 7시에 일어나서 밥을 먹으려는데 엄마가 새벽 4시쯤에 뭐 했냐고 물어봤다. 나는 옆으로 떨어졌다고 말했다. 그래서 엄마는 다음부터 조심하라고 하셨다.

<물병이 실종된 줄 알았던 날> - 박소윤

2024년 4월 24일

아침에 학교를 갈 준비하고, 학교에 도착했을 때 가방을 열어보니 물병이 없어서 불안했다. 그래서 아침 활동을 마치고 교과서를 정리한 뒤 집에 돌아가서 물병을 챙겨 왔지만, 바쁜 아침에 뛰어 갔다 왔더니 너무 힘들었다.

<시험지에서 비가 내린 날> - 박소윤

2024년 6월 17일

영어학원 시험이 있는 날이었다. 영어 공부를 했지만 3개나 틀렸다. 그래서 우울하고 화났다. 왜 그렇게 많이 틀렸는지 모르겠지만 다음부터는 공부를 더 열심히 해야겠다는 생각이 들었다. 엄마한테 시험을 3개 틀렸다고 말했는데, 엄마가 "다음에는 더 잘하면 돼."라고 위로해 주셨다.

<방학에 수영장 가는 날> - 양지안

2024년 7월 1일 월요일

나는 자고 일어났는데, 아빠가 와보라고 했다. 그래서 가봤는데, 아빠가 방학에 할머니 집에 바다를 가자고 했다. 그래서 나는 "알겠다"고 했다. 빨리 가고 싶었다. 빨리 방학이 되기를... 그래서 너무 긴장되고, 설레고, 기대된다. 근데 나는 빨리 가고 싶은데 참고, 방학에 그냥 가기로 했다.

\<친구들이랑 노는 날\> - 양지안

2024년 6월 27일 목요일

오늘은 영어 회화부를 가는 날이다. 영어 회화부는 가기 싫지만 가야 된다. 너무너무 가기 싫었다. 근데 예지가 끝나고 놀 수 있느냐고 물어봤다. 그래서 나는 안된다고 했다. 근데 나는 영어 회화부를 끝내고는 놀 수 있다고 말을 했다. 그래서 빨리 끝났으면 좋겠다. 일단 학교 끝나고 영어 회화부도 끝내고 102동에서 놀았다. 그때 감정은 너무 신나고 긴장됐다. 왜냐하면 놀 수 있어서.

<방과후 안 가는 날> - 양지안

2024년 5월 27일 월요일

　나는 학교가 끝나고 방과후를 갈려고 했는데, 엄마한테 끝났다고 전화를 했다. 근데 엄마가 일하고 있어서 끊었고, 나는 다시 전화를 걸었다. 엄마가 전화를 걸었다. "오늘 방과후 가는 날 맞지?" 라고 했는데, 엄마가 방과후 가는 날이 아니라고 하셨다. 나는 너무 좋아서 엄마한테 사랑한다고 하고 집으로 달려갔다. 그때 감정은 좋고 너무 신났다.

<웅진 플레이도시> - 엄유하

2024년 6월 15일

　친구 태권도 학원에서 웅진 플레이도시에 간다고 해서 친구가 나를 초대해 줬는데, 그래서 태권도 버스를 탔는데 거기에 김우찬이랑 탁기성이랑 조하남이 있었다. 친구가 반갑기도 했지만 우리 반 남자애들을 만나니까 뭔가 싫어졌다. 그렇지만 도착해 보니 아주 재미있을 것 같았다.

그런데 기다리는데 오래 걸려서 조금 지루했다.
1시간 30분~2시간 30분쯤 놀고 점심을 먹었다.
그리고 또 2시간~4시간쯤 놀고 또 버스를 타고 집으로
가니, 엄마가 있었다. 친구와 또 집에서 놀고 싶었는데,
엄마가 피곤하니까 오늘은 더 놀지 말라고 하셨다.

<재미있는 쥬쥬랜드> - 엄유하

2024년 4월 25일

아침부터 설렜다. 왜냐하면 현장 체험 학습을 가는 날이니까. 그래서 어제 선생님이 보라색 모자, 편한 복장, 운동화를 착용하고 오라고 하셨다. 그래서 다 챙기고, 입고 학교로 갔다. 그리고 어제 정한 내 짝 소윤이와 같이 버스를 타고 쥬쥬랜드로 갔다. 선생님과 우리 반 친구들과 구경하다 점심을 먹었는데, 돈까스였다. 간식을 먹고, 실내 동물원을 구경했는데, 선생님이 10분 뒤에 오라고 하셔서 10분만에 5바퀴를 구경했다. 그리고 로봇 춤을 보고, 버스를 타고 학교로 갔다가 집으로 갔다.

<친구들과 자연 휴양림에 간 날> - 엄유하

2024년 7월 13일

토요일 아침 10시에 출발했다. 12시에 휴게소에 도착해서 점심을 먹고, 숙소로 도착해서 친구들이랑 물총 놀이를 한 후, 친구들과 계곡에 갔다. 폭포도 맞고, 돌로 (소꿉놀이)요리를 했다. 숙소로 다시 가서 씻고, 공놀이를 하고, 핸드폰을 하고, 닌텐도를 하고, 저녁

식사로 삼겹살을 먹고, 뛰면서 놀고, 잤다. 다음날 아침, 공놀이를 하고, 아침을 먹고, 닌텐도를 하고, 핸드폰을 하고 집으로 갔다.

\<고모네 가족이 캐나다에서 오는 날\> - 이예나

2024년 7월 11일

　캐나다에 살고 있던 언니, 오빠, 고모가 한국에 오는 날이다. 나는 오랜만에 언니랑 오빠랑 함께 놀고 싶어서 기대됐다. 언니랑 오빠가 마라탕과 탕후루가 먹고 싶다고 해서 같이 마라탕과 탕후루를 먹었다.

<아야!> - 이예나

2024년 6월 4일

언니와 놀다 돌에 걸려 넘어졌다. 아야! 너무 아팠다. 나는 울었다. ㅠㅠ

집에 가서 밴드를 붙이고 소독을 했다. 밖에서 더 놀 수 없을 것 같아서 그냥 집에서 놀았다.

<웃긴 날> - 이예나

2024년 5월 6일

워터파크에서 노는데 어떤 아이가 우리 아빠 보고 "우와아아아아아아앙!!!"이라고 외쳤다. 나는 그 모습을 보고 웃었다. 엄마께서 말씀하셨다. "우리 예나도 4살때 그랬는데." 나는 또 웃었다. 그리고 웃어서 기분이 좋았다.

<굴러 떨어진 날> - 이예빈

2024년 7월 수요일

오후에 장터에서 돈까스를 사러 가는 중 발생한 사건이었다. 돈까스를 만드는 데 시간이 오래 걸려서 돈까스를 사는 대신 돌분수대에서 놀았는데, 돌에 올라가다가 발이 미끄러져서 뒤로 굴러떨어졌다. 그 순간 깜짝 놀랐고 아팠다. 이후에는 집에 돌아가서 상처를 씻고 소독하고 밴드를 붙였다. 이 경험을 통해 조심해야겠다고 다짐했다.

<쥬쥬랜드에 간 날> - 이예빈

2024년 4월 25일

아침부터 설렜다. 왜냐하면 현장 체험 학습을 가는 날이기 때문이다. 그래서 평소보다 빨리 준비를 했다. 학교에 가서 버스를 타고 쥬쥬랜드로 갔다. 도착해서 실내, 실외 동물원을 갔다. 그리고 밥을 먹는데 밥이 맛이 없었다. 밥을 다 먹고, 동물 먹이 체험을 하고 로봇 춤을 봤다. 로봇 춤을 다 본 후 버스를 타고 집으로 갔다. 정말 재미있었다.

\<이상한 젤리> - 이예빈

2024년 7월 14일

주말에 심심해서 놀이터에서 우찬이를 만났다.
그런데 우찬이가 젤리를 먹고 있었다. 나도 먹어보고
싶어서 우찬이에게 1개만 주라고 했다. 우찬이가
주어서 먹어봤는데 맛이 약간 밀가루처럼 뻑뻑하면서
달았다. 모양은 네모난데 밀가루 같은 게 묻혀 있었다.
나는 너무 맛이 없어서 버렸다. 그래도 새로운 것을
먹어보니 신기했다.

<비가 안 와서 기쁜 날> - 이하연

2024년 7월 9일 화요일

아침에 일어났는데 비가 안 왔다. 아빠가 어제 비
온다 했는데 안 와서 나는 아침에 기뻤다. 그래서
학교도 기쁘게 가고, 학교가 끝날 때도 기뻤다.

<골프채 산 날> - 이하연

2024년 7월 6일 토요일

아침에 일어났다. 아빠가 골프채를 사 주신다고 해서 몸이 날아갈 것 같았다. 내가 사고 싶었던 골프채를 아빠가 사줘서 기분이 날아갈 정도로 신났다. 골프채를 사고 나는 아빠한테 감사합니다 했더니 아빠가 웃었다.

<처음으로 스크린 게임장 간 날> - 이하연

2024년 7월 1일 월요일

가족이랑 저녁을 먹고 있었는데, 아빠가 나랑 같이 스크린 게임장을 가자고 했다. 그래서 나는 저녁을 먹고 아빠랑 같이 갔다. 그런데 차를 타고 가는 중에 내 마음이 두근두근 뛰었다. 스크린 게임장에 도착해서 아빠랑 나랑 했는데, 아빠가 이겼다.

\<교감 선생님\> - 김우찬

2024년7월 2일

　교감 선생님께서 박스를 들라고 하셔서 도와드려서 뿌듯했다. 그 순간은 자부심을 느꼈고, 교감 선생님께서 저를 믿고 의뢰해 주신 것에 감사함을 느꼈습니다. 이후에는 담임 선생님께서 1점을 주셨습니다.

<씨몽키> - 김우찬

2024년 7월 6일

지훈이랑 다이소에서 씨몽키를 샀다. 우리 집에 가서 씨몽키 설명서를 읽는데 잘못 말해서 지훈이가 미치겠다고 했다. 그 뒤 내 책상 위에서 씨몽키를 나누고 있는데, 지훈이가 씨몽키를 바닥에 흘렸다. 나는 착한 아이이기 때문에 지훈이를 도와 바닥을 닦았다.

<스케이트 보드> - 김우찬

2024년 4월 28일

빨간 마당에서 스케이트보드 연습을 했다. 스케이트 보드를 타다가 넘어져서 피가 났다. 하지만 난 착한 아이이고 용감한 사나이이기 때문에 울지 않았다. 그 모습을 옆에서 지켜보던 아빠가 아이스크림을 사 주셨다.

<뜬금없는 수영장> - 김진우

2024년 7월 3일

　학교가 끝나고 학원에 가려는데, 엄마가 학원을 빠지고 수영장에 가자고 하셨다. 뜬금없이 이런 생각을 했다. 근데 진짜 차를 타고 수영장에 갔다. 그곳은 낮은 곳과 깊은 곳이 있었다. 또한 튜브는 말도 안 되게 많았다. 근데 유료도 아니고 무료였다. 2시간이나 신나게 놀고 볶음밥을 먹고 엄마한테 감사하다고 했는데, 엄마가 체험단으로 온 거라고 하셨다.

<천국이 따로 없네> - 김진우

2024년 7월 7일

평소처럼 게임을 하던 중, 엄마가 5시간 동안 게임을 할 수 있게 허락해 주셨다. 그래서 브롤스타즈와 로블록스를 플레이하고 유튜브를 시청했으며, 햄버거, 라면, 치킨을 먹고 후식으로 버블티를 마셨다. 그렇게 해서 '천국이 따로 없네.'라고 생각했다.

\<마법의 독수리\> - 김진우

2024년 6월 25일

집에서 마법의 독수리를 이렇게 노래하면서 춤을 추고 있었는데, 엄마가 "왜 그래?"라고 하셨다. 그래서 조금 창피했다. 하지만 나는 학교에서 친구들과 이러고 놀았다고 대답했다. 엄마가 "아, 그래?"라고 하셨다. 그리고 나는 계속 춤을 췄다. 힘들 때까지 췄다.

\<줄넘기\> - 박준모

2024년 7월 9일

학교를 끝내고 태권도를 다녀왔습니다. 그리고 국기원 연습을 하고 줄넘기를 했습니다. 또한 피아노를 연주하고 체르니30을 연습하고 반주책도 연주했습니다. 너무 즐거웠고, 매일 하고 싶었습니다. 그리고 수영을 하러 갔습니다. 너무 좋았습니다. 이제 수영장에 들어가 레벨 테스트를 보고 수업을 들었습니다. 수업이 끝나고 남은 시간에 놀이를 해서 너무 즐거웠습니다.

<치과> - 박준모

2024년 7월 2일

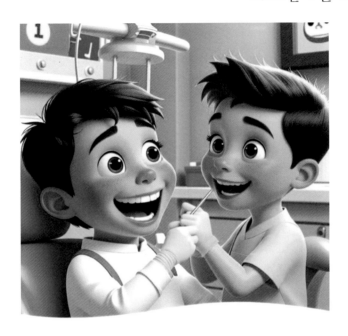

　학교 끝나고 치과를 갔다. 치과에서 양치를 하고 치과 선생님이 부르셨다. 그래서 검사를 했다. 그리고 썩은 게 없다고 하셨다. 그래서 너무 행복했다. 그리고 치과 선생님이 양치하는 법을 알려주셨다. 이제는 양치를 잘 할 거다.

<쥬쥬랜드> - 박준모

2024년 4월 25일

친구들과 선생님과 쥬쥬랜드를 가서 좋았다. 그리고 쥬쥬랜드에 도착해서 너무 좋았다. 그리고 선생님과 친구들과 동물을 봤다. 그리고 밥을 먹고 친구들끼리 동물을 봤다. 엄청 재미있었고 매일 쥬쥬랜드를 갔으면 좋겠다. 왜냐하면 동물이 너무 귀여워서 엄청 재미있었다고 한 것이다. 그리고 친구들과 축구를 한 것이 너무 재미있었다. 그리고 선생님이 가자고 하셨다. 너무 아쉬웠다.

<누나의 다리> - 박지훈

2024년 5월 20일

아빠가 친구들이랑 농구를 하러 갔을 때다. 엄마와 나 그리고 누나 이렇게 셋이 있었던 일이다. 우리는 부평으로 놀러갔다. 가서 마라탕을 먹었는데 너무 매워서 물 배를 채웠다. 누나가 올리브영을 가서 팩을 샀다. 나는 아디다스 매장에서 축구화를 샀다. 버스를 타고 왔는데 놀이터에서 누나와 놀았다. 누나가 날 업고 뛰다가 발이 꺾였다. 병원에서 다리가 부러졌다고는 진단을 받았다. 누나 다리가 부러져서 황당했다. 다음부터 조심해야겠다.

<누나에게 미안한 날> - 박지훈

2024년 7월의 어느 날

　　누나한테 다크 서클이 좀 있었다. 그래서 내가 물었다. "누나, 잠 못 잤음?" 내가 물었다. 누나가 나한테 엄청 화를 냈다. 왜 그런지 물어보니 어제 누나의 얼굴을 엄청 찼다고 했다. 어제를 곰곰이 생각해보니 어제 나의 가장 친한 친구인 태인이와 축구를 한 꿈이 생각났다. 아마도 내가 잠꼬대를 한 것 같다. 그래서 누나에게 너무너무 미안했다.

<행복한 날> - 박지훈

2024년 5월 29일 수요일

가장 싫어하는 학원을 마치고 집에 오는 길이었다. 집에 도착해서 엄마가 오늘 학원에서 힘들었을 것 같다며 오늘의 저녁은 마라탕이라고 했다. 나는 닌텐도 게임을 하고 있었다. 내 팀은 포르투갈 대표팀이었고, 상대팀은 아르헨티나 대표팀이었다. 나는 전반전에만

3골을 먹혔다. 전반전이 끝날 때 쯤 마라탕이 도착했다. 마라탕은 정말 맛있었다. 마라탕을 다 먹고, 다시 닌텐도 게임을 했다. 후반전에 기적처럼 난 다시 3:3을 만들었다. 승부차기에서 난 4:3으로 이겼다. 그때 기분이 너무 좋았다.

<강아지가 똥싸는 걸 본 날> - 우은찬

2024년 7월 9일

아침에 학교에 가는 중이었는데, 강아지가 똥을 싸는 모습을 보았다. 너무 놀랐다. 이유는 개똥을 보긴 했는데, 강아지가 똥을 싸는 건 처음 봤기 때문이다. 그리고 땅에 개똥이 있는가 없는가 하면서 학교에 도착했다. 우리 집이 내 학교와 거리가 멀지 않아서 정말 다행이다. 그 이후로 강아지가 더 무서워졌다.

<시계가 고장난 날> - 우은찬

2024년 7월 14일

아침에 눈을 뜨고 시간을 확인하려고 시계를 보았다. 그런데 시계가 가리키는 시각이 12시 40분이었다. 학교에 지각한 줄 알고 놀랐다. 하지만 진짜 시각은 12시 40분이 아니었고 시계가 고장난 것이었다. 정말 다행이었다.

<모기한테 물린 날> - 우은찬

2024년 6월 10일

　어제 모기 한 마리가 내 다리를 물었다. 너무 간지러워서 긁고 싶었지만 참았다. 이유는 긁으면 더 간지러워지기 때문이다. 그래서 내가 안 긁었다. 간지러워서 너무 짜증 난다. 이후로 거의 모기에 물리지 않았다. 너무 다행이었다.

<비행기에 탄다> - 조유빈

2024년 6월 23일

　나는 그날 일어나고 기분이 좋았다. 왜냐하면 바로 베트남에 가는 날이었기 때문이다. 그래서 나는 "여행은 언제 가?" 라고 물었더니 엄마가 7시에 가야한다고 해서 나는 시간이 빨리 갈 만한 것을 했다.

그리고 몇 시간 뒤 택시를 타고 공항에 갔는데 줄이 너무나도 많았다. 그래서 기다린 다음에 짐을 부쳤다. 그리고 12시쯤에 비행기에 탄다고 해서 공항에서 밥도 먹고 구경도 했다. 그리고 나서 12시가 되자 비행기에 탔다. 비행기에서 바로 자서 기억이 잘 안 났었다.

<베트남 도착> - 조유빈

2024년 6월 24일

비행기를 타고 베트남에 도착했다. 그런데 밖에 나가니 너무 습하고 더워서 죽을 것 같았다. 그래서 공항에 오신 기사님이 우리 엄마의 이름을 들고 있었다. 다른 사람들도 이름을 들고 있었다. 그래서 우리 엄마의 이름이 적힌 종이를 따라가서 차에 탔다. 몇 시간 후 도착해서 숙소에 왔는데, 오렌지 주스를 주셨다. 생각보다 많이 맛있었다. 방을 봤더니 무려 2층 침대가 있었다. 비행기를 타고 베트남에 도착한 시간이 새벽 2시라 바로 잤다. 그 다음날 조식을 먹으러 갔는데 베트남 전통 음식이 아주 많았다. 한번 먹으려 했는데 신기한 게 음식이 전시되어 있어서 재료를 찾아서 먹는 거였다. 음식을 하나하나 찾다 보니 배가 불렀다. 바로 다시 숙소로 가서 소화시킨 다음에 수영장에 가서 놀았다. 비둘기가 날아와서 수영장에 물을 먹었다. 놀다 보니 지쳐서 숙소로 가서 더워서 그냥 에어컨이나 쐬면서 있었다.

\<지옥의 시작\> - 조유빈

2024년 6월 25일

　나는 엄마가 담시장에 가고 싶다고 해서, 엄마, 아빠와 같이 담시장에 갔다. 그래서 나갔는데 벌써부터 쪄 죽을 것 같았다. 그래서 일단 먼저 시장에 가는데 너무 먼 것이다. 그래서 택시 아저씨가 옆에서 "택시?"라고 영어로 말하셔서 하셔서 택시인 줄 알고 택시를 타고 가는데 생각보다 먼 것이다. 그래서 엄마가 "걸어갔으면 진짜 쪄 죽을 뻔했다" 하시면서 웃으셨다. 그래서 시장에 도착해서 음료를 마셨다. 자세히 기억은 안 나는데, 형 스무디, 아빠 스무디, 나 패션후르츠 주스를 마셨다. 완전 더운 게 싹 사라지는 것 같았다. 그리고 나서 안으로 들어가서 시장에 갔는데 뭐가 엄청나게 많았다. 그래서 신기해했는데, 딱히 살 건 없었다. 그리고 두리안을 먹어봤는데 진짜 토 나오는 맛이었다. 그래서 다시는 먹기 싫다.

<징그러운 개구리> - 조하남

2024년 6월 24일

    아빠가 근무하시는 홍천으로 우리 가족이 놀러 갔다. 거기는 무척 시골이었다. 공기가 너무 좋아서 가족끼리 밤 9시에 마을 주변을 산책하러 갔다. 그런데 개구리가 너무 많았다. 나는 그게 너무 징그러웠다. 개구리가 그렇게 많은 걸 처음 봤기 때문이다. 그래서 아빠한테는 말하지 않았지만 개구리 때문에 아빠 집을 안 가고 싶었다.

<로봇과학 수업> - 조하남

2024년 3월 21일

　방과후　프로그램으로　로봇과학을　했다.　오늘 만들어야 할 로봇을 다 만들었는데 건전지가 없어서 테스트해 보지 못했다. 어쩔 수 없이 다음 시간에 만들 걸 미리 만들었다. 아무것도 아닌 건전지 때문에 테스트를 못하다니 화가 났다. 다음부터 건전지를 가져와야겠다.

\<아빠 생신 축하하는 날\> - 조하남

2024년 5월 23일

오늘은 아빠 생신이다. 우리 아빠는 군인이시라 다른 곳에서 떨어져 살고 계신다 그래서 학교 끝나고 전화해야겠다. 빨리 학교가 끝났으면 좋겠다. 아빠한테 생신 축하한다고 말씀드려야지. 그리고 주말이 되면 가족들과 함께 아빠가 계신 집으로 가 봐야지.

<씨리얼 과자만 먹었던 일> - 탁기성

2024년 7월 8일

아침에 일어나서 시리얼을 먹으려고 했는데 우유가 없어서 짜증났다. 그래서 엄마에게 우유를 사자고 말했다. 학교가 끝나고 엄마랑 마트를 갔다. 마트에 도착하자마자 나는 우유부터 골랐다. 내일을 시리얼과 우유를 같이 먹을 수 있으니 상상만 해도 좋다.

<한우소머리국밥을 먹고 싶던 일> - 탁기성

2024년 5월 21일

학교 급식에 한우 소머리국밥이 나와서 빨리 먹고 싶었다. 점심에 이미 먹었지만, 집에 도착해서도 엄마에게 한우 소머리국밥을 먹고 싶다고 했다. 하지만 엄마께 사주지 않겠다고 해서 아쉬웠다.

<교통사고가 났던 날> - 탁기성

2024년 6월 21일

　태권도가 끝나고 집에 가는데, 어떤 차가 후진을 해서 그 차가 나와 부딪혔다. 차를 운전한 아줌마가 내려와서 미안하다고 말했다. 집에 가서 엄마에게 교통사고가 났다고 얘기했다. 엄마는 "안다쳐야지"고 말했다. 나는 "괜찮다"고 말했다. 엄마는 걱정하면서, "다음부터는 앞을 잘 봐야겠다"고 생각했다.

<돌고래 그림> - 장하솔

2024년 6월 29-30일

　학교에서 색연필로 칠해도 된다 해서 색연필로 하면 더 잘 될 줄 알고 칠해봤다. 그런데 어느 정도 지나고 내 그림을 봤더니 망해 있었다. 뭔가 당황스러웠다. 사물함에 가서 싸인펜을 급하게 가져온 다음 빨리 수습했지만 변화는 없고 더 이상해졌다.

<제주도 여행 하루 전> - 장하솔

2023년 7월 13일

　내일은 제주도 가는 날이라서 설레고 잠을 못 자겠다. 엄마, 아빠, 할머니, 언니들은 자는데, 난 왜 못자지... 잠이 와도 잘 것 같진 않았다. 너무 설레기도 하고 답답하기도 했다. 안 잔 상태로 멍하니 있는데, 언니가 갑자기 일어나서 뭐하냐고 해서 잠이 안 온다고 했다. 우리 같이 밤을 새자고 해서 새다가 같이 잠들어 버렸지만 신기하게도 일찍 일어나 있었다.

<과학 축제> - 장하솔

2024년 5월 언젠가

학교에서 과학 축제를 했다. 집에서 학교를 갈 때 궁금하기도 하고 설레기도 했다. 드디어 학교에 도착해서 너무 신나고 설레었다. 학교에서 과학 축제를 시작했고, 신기한 물체들이 많았다. 내가 가장 재밌는 것은 '울퉁불퉁'이었다. 왜냐하면 VR을 끼고 공을 넣었는데 안 넣어지는 게 신기해서다. 그리고 과학 축제를 끝낸 후 뽀로로 주스를 받아서 맛있게 먹었다.

3부

용마 삼삼

나를 맞춰봐

1. 나는 어디 학교를 다니다 왔을까요?

2. 내가 숫자 중 가장 좋아하는 숫자는 무엇일까요?

3. 내가 싫어하는 음식은 무엇일까요?

4. 내가 좋아하는 음식은 무엇일까요?

5. 내가 좋아하는 과목은 무엇일까요?

6. 내가 좋아하는 놀이는 무엇일까요?

7. 내가 좋아하는 곳은 어디일까요?

8. 내가 좋아하는 사람은 누구일까요?

9. 내 MBTI는 무엇일까요?

10. 내 키는 몇 cm일까요?

1. 내가 좋아하는 음식은 무엇일까요?

2. 내가 좋아하는 숫자는 무엇일까요?

3. 내가 싫어하는 음식은 무엇일까요?

4. 내가 좋아하는 게임은 무엇일까요?

5. 내가 좋아하는 과목은 무엇일까요?

6. 내가 좋아하는 놀이는 무엇일까요?

7. 내가 좋아하는 장소는 무엇일까요?

8. 내 생일은 언제일까요?

9. 내가 좋아하는 사람은 누구일까요?

10. 나는 주로 어떤 책을 읽을까요?

제 3 회 친구시험	**(조하남)에 대해 맞춰봐**	인천용마초등학교 3학년 3반 ( )번 이름 : _____

1. 내가 가장 좋아하는 색은 무엇일까요?

2. 내가 가장 싫어하는 색은 무엇일까요?

3. 내가 가장 좋아하는 노래는 무엇일까요?

4. 내가 가장 좋아하는 음식은 무엇일까요?

5. 내가 가장 좋아하는 놀이는 무엇일까요?

6. 내가 가장 가 보고 싶은 나라는 어디일까요?

7. 내가 가장 좋아하는 동물은 무엇일까요?

8. 내가 가장 좋아하는 과목은 무엇일까요?

9. 내가 가장 싫어하는 채소는 무엇일까요?

10. 내가 가장 좋아하는 과일은 무엇일까요?

제 4 회 친구시험	(조유빈)에 대해 맞춰봐	인천용마초등학교 3학년 3반 ( )번 이름 : _____

1. 내가 가장 좋아하는 음식은 무엇일까요?

2. 내가 가장 싫어하는 음식은 무엇일까요?

3. 내가 가장 좋아하는 과목은 무엇일까요?

4. 내가 가장 좋아하는 사람은 누구일까요?

5. 내 생일은 언제일까요?

6. 내가 가장 싫어하는 과목은 무엇일까요?

7. 내가 가장 좋아하는 게임은 무엇일까요?

8. 내가 가장 좋아하는 과일은 무엇일까요?

9. 내가 가장 싫어하는 야채는 무엇일까요?

10. 내가 가장 좋아하는 야채는 무엇일까요?

1. 내 이름은 무엇일까요?

2. 나는 어떤 나라 사람일까요?

3. 내가 제일 좋아하는 게임은 무엇일까요?

4. 나는 동생이 있을까요?

5. 내가 가장 좋아하는 과목은 무엇일까요?

6. 내가 가장 좋아하는 과일은 무엇일까요?

7. 나는 2학년 때 몇 반이었을까요?

8. 우리 반에서 나와 1학년 때 같은 반이었던 친구 이름은

　무엇일까요?

9. 내가 가장 좋아하는 숫자는 무엇일까요?

10. 나는 엄마를 더 좋아할까요? 아빠를 더 좋아할까요?

제 6 회 친구시험	**(박지훈)에 대해 맞춰봐**	인천용마초등학교 3학년 3반 ( )번 이름 : _____

1. 내가 가장 좋아하는 나라는 어디일까요?

2. 나는 가족 중에 누구를 제일 좋아할까요?

3. 내가 가장 좋아하는 게임은 무엇일까요?

4. 내가 가장 좋아하는 음식은 무엇일까요?

5. 내가 가장 좋아하는 축구선수는 누구일까요?

6. 나는 누나나 형이 몇 명 있을까요?

7. 내가 가장 싫어하는 나라는 어디일까요?

8. 나는 2학년 때 몇 번이었을까요?

9. 나는 2학년 때 누구랑 같은 반이었을까요? (1명만 쓰면

    틀립니다.)

10. 내 혈액형은 무엇일까요?

1. 내 이름의 앞 글자는 무엇일까요?

2. 내 혈액형은 무엇일까요?

3. 내 생일은 언제일까요?

4. 내가 가장 좋아하는 숫자는 무엇일까요?

5. 내가 가장 싫어하는 숫자는 무엇일까요?

6. 내가 가장 좋아하는 음식은 무엇일까요?

7. 내가 가장 싫어하는 음식은 무엇일까요?

8. 내 핸드폰 이름은 무엇일까요?

9. 나는 태권도 무슨 띠 몇 급일까요?

10. 내 별자리는 무엇일까요?

제 8 회 친구시험	(김진우)에 대해 맞춰봐	인천용마초등학교 3학년 3반 ( )번 이름 : _____

1. 내 이에서 빠진 이의 개수는?

2. 우리 집에서 키우는 도마뱀은 모두 몇 마리일까요?

3. 내가 지금까지 나갔던 대회 이름은? (한 가지)

4. 나는 대회에 나가서 무슨 메달을 땄을까요?

5. 나는 어떤 종류의 버거를 좋아할까요?

6. 내가 좋아하는 노래는 무엇일까요?

7. 우리 집은 몇 층에 살까요?

8. 이번 어린이날에 내가 받은 선물은 무엇일까요?

9. 이번 여름 내가 한 달 동안 떠나 있는 외국은 어디일까요?

10. 내가 무서워하는 것은 무엇일까요?

(김우찬)에 대해 맞춰봐

1. 내가 싫어하는 음식은 무엇일까요?

2. 내가 좋아하는 게임은 무엇일까요?

3. 나는 1학년 때 몇 반이었을까요?

4. 내가 좋아하는 취미는 무엇일까요?

5. 우리 가족 중에 내가 싫어하는 사람은 누구일까요?

6. 내가 좋아하는 음식은 무엇일까요?

7. 우리 집은 몇 층일까요?

8. 내가 좋아하는 과목은 무엇일까요?

9. 나는 어버이날 무슨 꽃을 샀을까요? (두 가지)

10. 나는 무슨 대회를 나갔을까요?

1. 내가 키우는 도마뱀의 이름은 무엇일까요?

2. 내가 좋아하는 사람은 누구일까요?

3. 내가 가장 좋아하는 장난감은 무엇일까요?

4. 내가 가장 좋아하는 과목은 무엇일까요?

5. 내 혈액형은 무엇일까요?

6. 내가 좋아하는 색깔은 무엇일까요?

7. 내가 좋아하는 계절은 무엇일까요?

8. 내가 무서워하는 것은 무엇일까요?

9. 내 취미는 무엇일까요? (두 가지)

10. 나는 1학년 때 몇 반이었을까요?

1. 나는 학원을 몇 개 다닐까요?

2. 내가 싫어하는 과일은 무엇일까요?

3. 나는 몇 학년 때가 가장 좋았을까요?

4. 내가 가장 좋아하는 과일은 무엇일까요?

5. 나는 집에 레고가 (많다. / 적다.)

6. 나는 어린이집에서 달리기할 때 무슨 메달을 땄을까요?

7. 나는 어떤 계절이 제일 좋을까요?

8. 우리 가족은 몇 명이고, 기르는 동물은 몇 마리일까요?

9. 우리 집에서 죽은 도마뱀 이름은 무엇일까요?

10. 내가 좋아하는 색은 무엇일까요?

1. 내가 좋아하는 운동은 무엇일까요?

2. 나는 하루에 골프를 몇 개 칠까요?

3. 내가 좋아하는 사람은 누구일까요?

4. 내 키는 몇 cm일까요?

5. 내가 좋아하는 나라는 어디일까요?

6. 나는 무슨 요일을 제일 좋아할까요?

7. 내가 제일 좋아하는 과일은 무엇일까요?

8. 나는 학원이 끝나면 몇 시일까요?

9. 내가 잠드는 시간은 몇 시일까요?

10. 내가 하루에 먹는 물의 양은 몇 리터일까요?

제 13 회 친구시험	**(엄유하)에 대해 맞춰봐**	인천용마초등학교 3학년 3반 ( )번 이름 : _____

1. 내가 제일 좋아하는 2가지 숫자는 무엇일까요?

2. 내 생일은 언제일까요?

3. 내 혈액형은 무엇일까요?

4. 내 MBTI는 무엇일까요?

5. 나는 8월에 어디로 여행을 갈까요? (힌트: 국내)

6. 내 이름은 몇 글자일까요?

7. 내가 제일 좋아하는 색은 무엇일까요?

8. 내가 제일 좋아하는 가수는 어느 그룹의 누구일까요?

9. 내 별자리는 무엇일까요?

10. 나는 1학년 때 몇 반이었을까요?

1. 우리 가족은 몇 명일까요?

2. 나는 줄넘기대회에서 어떤 상을 받았을까요?

3. 내가 좋아하는 과목은 무엇일까요?

4. 우리 집 햄스터의 이름은 무엇일까요?

5. 내가 제일 싫어하는 과목은 무엇일까요?

6. 내가 제일 좋아하는 과일은 무엇일까요?

7. 내가 제일 좋아하는 노래는 무엇일까요?

8. 내 혈액형은 무엇일까요?

9. 내가 좋아하는 동물은 무엇일까요?

10. 나는 방과후학교 프로그램을 몇 개 할까요?

1. 내가 다니는 학원은 몇 개일까요?

2. 우리 가족은 몇 명일까요?

3. 내가 좋아하는 과일은 무엇일까요?

4. 내가 좋아하는 과목은 무엇일까요? (2개)

5. 내 혈액형은 무엇일까요?

6. 내가 7살 때 다닌 유치원 이름은 무엇일까요?

7. 나는 내가 다니는 학원 중에 어떤 학원을 좋아할까요?

8. 나는 카드와 현금 중 무엇을 주로 쓸까요?

9. 나는 교실에서 몇 번일까요?

10. 내가 좋아하는 음식은 무엇일까요?

제 16 회 친구시험	(김예지)에 대해 맞춰봐	인천용마초등학교 3학년 3반 ( )번 이름 : _____

1. 나는 일주일 중 학원 가는 날이 몇일일까요?

2. 내가 좋아하는 아이돌 그룹은 누구일까요? (2팀)

3. 내가 좋아하는 음식은 무엇일까요?

4. 나는 어떤 과목 학원을 다닐까요?

5. 나는 1학년 때 몇 반이었을까요?

6. 내가 가장 싫어하는 음식은 무엇일까요?

7. 내가 가장 좋아하는 과일은 무엇일까요?

8. 내가 가장 싫어하는 과일은 무엇일까요?

9. 내 생일은 몇 월 몇 일일까요?

10. 내가 가장 좋아하는 노래는 무엇일까요?

제 17 회 친구시험	**(김시연)에 대해 맞춰봐**	인천용마초등학교 3학년 3반 (　)번 이름 : ＿＿＿＿＿＿

1. 내가 가장 좋아하는 과일은 무엇일까요?

2. 내가 가장 싫어하는 과일은 무엇일까요?

3. 내 혈액형은 무엇일까요?

4. 내가 좋아하는 과목은 무엇일까요?

5. 내가 싫어하는 과목은 무엇일까요?

6. 내가 좋아하는 동물은 무엇일까요?

7. 음악 줄넘기 방과후를 갈 때 같이 가는 친구는 누구일까요?(2명)

8. 내가 가장 좋아하는 음식은 무엇일까요?

9. 내가 가장 싫어하는 음식은 무엇일까요?

10. 나는 일주일에 용돈을 얼마 받을까요?

| 제 18 회
친구시험 | (김다은)에 대해 맞춰봐 | 인천용마초등학교
3학년 3반 (   )번
이름 : _____ |

1. 내 MBTI는 무엇일까요?

2. 내 생일은 언제일까요?

3. 나와 작년에 같은 반이었던 지금 우리 반은 누구일까요?

4. 나의 관심사는 무엇일까요?

5. 내 취미는 무엇일까요?

6. 내가 좋아하는 동물은 무엇일까요?

7. 우리 가족은 몇 명일까요?

8. 내가 좋아하는 과목은 무엇일까요?

9. 내가 좋아하는 노래는 무엇일까요?

10. 내가 제일 좋아하는 음식은 무엇일까요?

<끝>